W9-BPL-186

This book belongs to

....

Address

....

....

....

....

Telephone/Fax

....

A

Name ....

Address...

....

....

...............................Post Code.........................

Telephone...

Name ....

Address...

....

....

...............................Post Code.........................

Telephone...

Name ....

Address...

....

....

...............................Post Code.........................

Telephone...

Name ....

Address...

....

....

...............................Post Code.........................

Telephone...

Name ....

Address...

....

....

...............................Post Code.........................

Telephone...

Name ....

Address...

....

....

...............................Post Code.........................

Telephone...

Name ....

Address...

....

....

...............................Post Code.........................

Telephone...

Name ....

Address...

....

....

...............................Post Code.........................

Telephone...

Name ....

Address..

....

....

..............................Post Code.........................

Telephone..

Name ....

Address..

....

....

..............................Post Code.........................

Telephone..

Name ....

Address..

....

....

..............................Post Code.........................

Telephone..

Name ....

Address..

....

....

..............................Post Code.........................

Telephone..

Name ....

Address..

....

....

..............................Post Code.........................

Telephone..

Name ....

Address..

....

....

..............................Post Code.........................

Telephone..

Name ....

Address..

....

....

..............................Post Code.........................

Telephone..

Name ....

Address..

....

....

..............................Post Code.........................

Telephone..

Name ....

Address..........

....

....

..........Post Code..........

Telephone..........

Name ....

Address..........

....

....

..........Post Code..........

Telephone..........

Name ....

Address..........

....

....

..........Post Code..........

Telephone..........

Name ....

Address..........

....

....

..........Post Code..........

Telephone..........

Name ....

Address..........

....

....

..........Post Code..........

Telephone..........

Name ....

Address..........

....

....

..........Post Code..........

Telephone..........

Name ....

Address..........

....

....

..........Post Code..........

Telephone..........

Name ....

Address..........

....

....

..........Post Code..........

Telephone..........

B

Name ....

Address..

....

....

..............................Post Code........................

Telephone..

Name ....

Address..

....

....

..............................Post Code........................

Telephone..

Name ....

Address..

....

....

..............................Post Code........................

Telephone..

Name ....

Address..

....

....

..............................Post Code........................

Telephone..

Name ....

Address..

....

....

..............................Post Code........................

Telephone..

Name ....

Address..

....

....

..............................Post Code........................

Telephone..

Name ....

Address..

....

....

..............................Post Code........................

Telephone..

Name ....

Address..

....

....

..............................Post Code........................

Telephone..

B

Name ....

Address...

....

....

...............................Post Code.........................

Telephone...

Name ....

Address...

....

....

...............................Post Code.........................

Telephone...

Name ....

Address...

....

....

...............................Post Code.........................

Telephone...

Name ....

Address...

....

....

...............................Post Code.........................

Telephone...

Name ....

Address...

....

....

...............................Post Code.........................

Telephone...

Name ....

Address...

....

....

...............................Post Code.........................

Telephone...

Name ....

Address...

....

....

...............................Post Code.........................

Telephone...

Name ....

Address...

....

....

...............................Post Code.........................

Telephone...

Name ....
Address...
....
....
..........................Post Code.......................
Telephone..

Name ....
Address...
....
....
..........................Post Code.......................
Telephone..

Name ....
Address...
....
....
..........................Post Code.......................
Telephone..

Name ....
Address...
....
....
..........................Post Code.......................
Telephone..

Name ....
Address...
....
....
..........................Post Code.......................
Telephone..

Name ....
Address...
....
....
..........................Post Code.......................
Telephone..

Name ....
Address...
....
....
..........................Post Code.......................
Telephone..

Name ....
Address...
....
....
..........................Post Code.......................
Telephone..

C

C

Name ....
Address...
....
....
..............................Post Code........................
Telephone..

Name ....
Address...
....
....
..............................Post Code........................
Telephone..

Name ....
Address...
....
....
..............................Post Code........................
Telephone..

Name ....
Address...
....
....
..............................Post Code........................
Telephone..

Name ....
Address...
....
....
..............................Post Code........................
Telephone..

Name ....
Address...
....
....
..............................Post Code........................
Telephone..

Name ....
Address...
....
....
..............................Post Code........................
Telephone..

Name ....
Address...
....
....
..............................Post Code........................
Telephone..

C

Name ....

Address..

....

....

..............................*Post Code*........................

Telephone..

Name ....

Address..

....

....

..............................*Post Code*........................

Telephone..

Name ....

Address..

....

....

..............................*Post Code*........................

Telephone..

Name ....

Address..

....

....

..............................*Post Code*........................

Telephone..

Name ....

Address..

....

....

..............................*Post Code*........................

Telephone..

Name ....

Address..

....

....

..............................*Post Code*........................

Telephone..

Name ....

Address..

....

....

..............................*Post Code*........................

Telephone..

Name ....

Address..

....

....

..............................*Post Code*........................

Telephone..

Name ....
Address..
....
....
........................Post Code........................
Telephone..

Name ....
Address..
....
....
........................Post Code........................
Telephone..

Name ....
Address..
....
....
........................Post Code........................
Telephone..

Name ....
Address..
....
....
........................Post Code........................
Telephone..

Name ....
Address..
....
....
........................Post Code........................
Telephone..

Name ....
Address..
....
....
........................Post Code........................
Telephone..

Name ....
Address..
....
....
........................Post Code........................
Telephone..

Name ....
Address..
....
....
........................Post Code........................
Telephone..

D

Name ....

Address..

....

....

...............................*Post Code*.........................

Telephone..

Name ....

Address..

....

....

...............................*Post Code*.........................

Telephone..

Name ....

Address..

....

....

...............................*Post Code*.........................

Telephone..

Name ....

Address..

....

....

...............................*Post Code*.........................

Telephone..

Name ....

Address..

....

....

...............................*Post Code*.........................

Telephone..

Name ....

Address..

....

....

...............................*Post Code*.........................

Telephone..

Name ....

Address..

....

....

...............................*Post Code*.........................

Telephone..

Name ....

Address..

....

....

...............................*Post Code*.........................

Telephone..

D

Name ....

Address..

....

....

..............................Post Code.........................

Telephone...

Name ....

Address..

....

....

..............................Post Code.........................

Telephone...

Name ....

Address..

....

....

..............................Post Code.........................

Telephone...

Name ....

Address..

....

....

..............................Post Code.........................

Telephone...

Name ....

Address..

....

....

..............................Post Code.........................

Telephone...

Name ....

Address..

....

....

..............................Post Code.........................

Telephone...

Name ....

Address..

....

....

..............................Post Code.........................

Telephone...

Name ....

Address..

....

....

..............................Post Code.........................

Telephone...

Name ....

Address..

....

....

...............................Post Code.........................

Telephone...

Name ....

Address..

....

....

...............................Post Code.........................

Telephone...

Name ....

Address..

....

....

...............................Post Code.........................

Telephone...

Name ....

Address..

....

....

...............................Post Code.........................

Telephone...

Name ....

Address..

....

....

...............................Post Code.........................

Telephone...

Name ....

Address..

....

....

...............................Post Code.........................

Telephone...

Name ....

Address..

....

....

...............................Post Code.........................

Telephone...

Name ....

Address..

....

....

...............................Post Code.........................

Telephone...

Name ....
Address..
....
....
................................Post Code..........................
Telephone..

Name ....
Address..
....
....
................................Post Code..........................
Telephone..

Name ....
Address..
....
....
................................Post Code..........................
Telephone..

Name ....
Address..
....
....
................................Post Code..........................
Telephone..

Name ....
Address..
....
....
................................Post Code..........................
Telephone..

Name ....
Address..
....
....
................................Post Code..........................
Telephone..

Name ....
Address..
....
....
................................Post Code..........................
Telephone..

Name ....
Address..
....
....
................................Post Code..........................
Telephone..

E

Name ....

Address...

....

....

...............................Post Code.........................

Telephone..

Name ....

Address...

....

....

...............................Post Code.........................

Telephone..

Name ....

Address...

....

....

...............................Post Code.........................

Telephone..

Name ....

Address...

....

....

...............................Post Code.........................

Telephone..

Name ....

Address...

....

....

...............................Post Code.........................

Telephone..

Name ....

Address...

....

....

...............................Post Code.........................

Telephone..

Name ....

Address...

....

....

...............................Post Code.........................

Telephone..

Name ....

Address...

....

....

...............................Post Code.........................

Telephone..

Name ....

Address..

....

....

...............................Post Code.........................

Telephone..

Name ....

Address..

....

....

...............................Post Code.........................

Telephone..

Name ....

Address..

....

....

...............................Post Code.........................

Telephone..

Name ....

Address..

....

....

...............................Post Code.........................

Telephone..

Name ....

Address..

....

....

...............................Post Code.........................

Telephone..

Name ....

Address..

....

....

...............................Post Code.........................

Telephone..

Name ....

Address..

....

....

...............................Post Code.........................

Telephone..

Name ....

Address..

....

....

...............................Post Code.........................

Telephone..

F
PASSIFLORA

Name ....

Address..

....

....

..............................Post Code.........................

Telephone...

Name ....

Address..

....

....

..............................Post Code.........................

Telephone...

Name ....

Address..

....

....

..............................Post Code.........................

Telephone...

Name ....

Address..

....

....

..............................Post Code.........................

Telephone...

Name ....

Address..

....

....

..............................Post Code.........................

Telephone...

Name ....

Address..

....

....

..............................Post Code.........................

Telephone...

Name ....

Address..

....

....

..............................Post Code.........................

Telephone...

Name ....

Address..

....

....

..............................Post Code.........................

Telephone...

F

Name ....

Address..

....

....

...............................Post Code.........................

Telephone..

Name ....

Address..

....

....

...............................Post Code.........................

Telephone..

Name ....

Address..

....

....

...............................Post Code.........................

Telephone..

Name ....

Address..

....

....

...............................Post Code.........................

Telephone..

Name ....

Address..

....

....

...............................Post Code.........................

Telephone..

Name ....

Address..

....

....

...............................Post Code.........................

Telephone..

Name ....

Address..

....

....

...............................Post Code.........................

Telephone..

Name ....

Address..

....

....

...............................Post Code.........................

Telephone..

Name ....
Address..
....
....
..............................Post Code.........................
Telephone..

Name ....
Address..
....
....
..............................Post Code.........................
Telephone..

Name ....
Address..
....
....
..............................Post Code.........................
Telephone..

Name ....
Address..
....
....
..............................Post Code.........................
Telephone..

Name ....
Address..
....
....
..............................Post Code.........................
Telephone..

Name ....
Address..
....
....
..............................Post Code.........................
Telephone..

Name ....
Address..
....
....
..............................Post Code.........................
Telephone..

Name ....
Address..
....
....
..............................Post Code.........................
Telephone..

G

Name ....
Address...
....
....
...............................Post Code.........................
Telephone...

Name ....
Address...
....
....
...............................Post Code.........................
Telephone...

Name ....
Address...
....
....
...............................Post Code.........................
Telephone...

Name ....
Address...
....
....
...............................Post Code.........................
Telephone...

Name ....
Address...
....
....
...............................Post Code.........................
Telephone...

Name ....
Address...
....
....
...............................Post Code.........................
Telephone...

Name ....
Address...
....
....
...............................Post Code.........................
Telephone...

Name ....
Address...
....
....
...............................Post Code.........................
Telephone...

Name ....

Address..

....

....

..............................*Post Code*.........................

Telephone..

Name ....

Address..

....

....

..............................*Post Code*.........................

Telephone..

Name ....

Address..

....

....

..............................*Post Code*.........................

Telephone..

Name ....

Address..

....

....

..............................*Post Code*.........................

Telephone..

Name ....

Address..

....

....

..............................*Post Code*.........................

Telephone..

Name ....

Address..

....

....

..............................*Post Code*.........................

Telephone..

Name ....

Address..

....

....

..............................*Post Code*.........................

Telephone..

Name ....

Address..

....

....

..............................*Post Code*.........................

Telephone..

Name ....
Address..
....
....
...............................*Post Code*.........................
Telephone..

Name ....
Address..
....
....
...............................*Post Code*.........................
Telephone..

Name ....
Address..
....
....
...............................*Post Code*.........................
Telephone..

Name ....
Address..
....
....
...............................*Post Code*.........................
Telephone..

Name ....
Address..
....
....
...............................*Post Code*.........................
Telephone..

Name ....
Address..
....
....
...............................*Post Code*.........................
Telephone..

Name ....
Address..
....
....
...............................*Post Code*.........................
Telephone..

Name ....
Address..
....
....
...............................*Post Code*.........................
Telephone..

H

Name ....
Address..
....
....
..............................Post Code.........................
Telephone..

Name ....
Address..
....
....
..............................Post Code.........................
Telephone..

Name ....
Address..
....
....
..............................Post Code.........................
Telephone..

Name ....
Address..
....
....
..............................Post Code.........................
Telephone..

Name ....
Address..
....
....
..............................Post Code.........................
Telephone..

Name ....
Address..
....
....
..............................Post Code.........................
Telephone..

Name ....
Address..
....
....
..............................Post Code.........................
Telephone..

Name ....
Address..
....
....
..............................Post Code.........................
Telephone..

H

Name ....

Address...

....

....

..............................*Post Code*.........................

Telephone...

Name ....

Address...

....

....

..............................*Post Code*.........................

Telephone...

Name ....

Address...

....

....

..............................*Post Code*.........................

Telephone...

Name ....

Address...

....

....

..............................*Post Code*.........................

Telephone...

Name ....

Address...

....

....

..............................*Post Code*.........................

Telephone...

Name ....

Address...

....

....

..............................*Post Code*.........................

Telephone...

Name ....

Address...

....

....

..............................*Post Code*.........................

Telephone...

Name ....

Address...

....

....

..............................*Post Code*.........................

Telephone...

Name ....
Address...
....
....
..............................Post Code.........................
Telephone...

Name ....
Address...
....
....
..............................Post Code.........................
Telephone...

Name ....
Address...
....
....
..............................Post Code.........................
Telephone...

Name ....
Address...
....
....
..............................Post Code.........................
Telephone...

Name ....
Address...
....
....
..............................Post Code.........................
Telephone...

Name ....
Address...
....
....
..............................Post Code.........................
Telephone...

Name ....
Address...
....
....
..............................Post Code.........................
Telephone...

Name ....
Address...
....
....
..............................Post Code.........................
Telephone...

I

Name ....

Address......................................

....

....

..................*Post Code*..................

Telephone....................................

Name ....

Address......................................

....

....

..................*Post Code*..................

Telephone....................................

Name ....

Address......................................

....

....

..................*Post Code*..................

Telephone....................................

Name ....

Address......................................

....

....

..................*Post Code*..................

Telephone....................................

Name ....

Address......................................

....

....

..................*Post Code*..................

Telephone....................................

Name ....

Address......................................

....

....

..................*Post Code*..................

Telephone....................................

Name ....

Address......................................

....

....

..................*Post Code*..................

Telephone....................................

Name ....

Address......................................

....

....

..................*Post Code*..................

Telephone....................................

I

Name ....

Address..

....

....

..............................*Post Code*........................

Telephone...

Name ....

Address..

....

....

..............................*Post Code*........................

Telephone...

Name ....

Address..

....

....

..............................*Post Code*........................

Telephone...

Name ....

Address..

....

....

..............................*Post Code*........................

Telephone...

Name ....

Address..

....

....

..............................*Post Code*........................

Telephone...

Name ....

Address..

....

....

..............................*Post Code*........................

Telephone...

Name ....

Address..

....

....

..............................*Post Code*........................

Telephone...

Name ....

Address..

....

....

..............................*Post Code*........................

Telephone...

Name ....
Address..
....
....
..............................Post Code........................
Telephone..

Name ....
Address..
....
....
..............................Post Code........................
Telephone..

Name ....
Address..
....
....
..............................Post Code........................
Telephone..

Name ....
Address..
....
....
..............................Post Code........................
Telephone..

Name ....
Address..
....
....
..............................Post Code........................
Telephone..

Name ....
Address..
....
....
..............................Post Code........................
Telephone..

Name ....
Address..
....
....
..............................Post Code........................
Telephone..

Name ....
Address..
....
....
..............................Post Code........................
Telephone..

J

Name ....
Address..
....
....
...............................Post Code.........................
Telephone..

Name ....
Address..
....
....
...............................Post Code.........................
Telephone..

Name ....
Address..
....
....
...............................Post Code.........................
Telephone..

Name ....
Address..
....
....
...............................Post Code.........................
Telephone..

Name ....
Address..
....
....
...............................Post Code.........................
Telephone..

Name ....
Address..
....
....
...............................Post Code.........................
Telephone..

Name ....
Address..
....
....
...............................Post Code.........................
Telephone..

Name ....
Address..
....
....
...............................Post Code.........................
Telephone..

J

Name ....

Address..

....

....

...........................*Post Code*.......................

Telephone...

Name ....

Address..

....

....

...........................*Post Code*.......................

Telephone...

Name ....

Address..

....

....

...........................*Post Code*.......................

Telephone...

Name ....

Address..

....

....

...........................*Post Code*.......................

Telephone...

Name ....

Address..

....

....

...........................*Post Code*.......................

Telephone...

Name ....

Address..

....

....

...........................*Post Code*.......................

Telephone...

Name ....

Address..

....

....

...........................*Post Code*.......................

Telephone...

Name ....

Address..

....

....

...........................*Post Code*.......................

Telephone...

Name ....
Address..
....
....
..............................Post Code........................
Telephone..

Name ....
Address..
....
....
..............................Post Code........................
Telephone..

Name ....
Address..
....
....
..............................Post Code........................
Telephone..

Name ....
Address..
....
....
..............................Post Code........................
Telephone..

Name ....
Address..
....
....
..............................Post Code........................
Telephone..

Name ....
Address..
....
....
..............................Post Code........................
Telephone..

Name ....
Address..
....
....
..............................Post Code........................
Telephone..

Name ....
Address..
....
....
..............................Post Code........................
Telephone..

K

Name ....

Address..

....

....

...............................Post Code.........................

Telephone..

Name ....

Address..

....

....

...............................Post Code.........................

Telephone..

Name ....

Address..

....

....

...............................Post Code.........................

Telephone..

Name ....

Address..

....

....

...............................Post Code.........................

Telephone..

Name ....

Address..

....

....

...............................Post Code.........................

Telephone..

Name ....

Address..

....

....

...............................Post Code.........................

Telephone..

Name ....

Address..

....

....

...............................Post Code.........................

Telephone..

Name ....

Address..

....

....

...............................Post Code.........................

Telephone..

K

Name ....

Address...

....

....

...............................Post Code.........................

Telephone...

Name ....

Address...

....

....

...............................Post Code.........................

Telephone...

Name ....

Address...

....

....

...............................Post Code.........................

Telephone...

Name ....

Address...

....

....

...............................Post Code.........................

Telephone...

Name ....

Address...

....

....

...............................Post Code.........................

Telephone...

Name ....

Address...

....

....

...............................Post Code.........................

Telephone...

Name ....

Address...

....

....

...............................Post Code.........................

Telephone...

Name ....

Address...

....

....

...............................Post Code.........................

Telephone...

Name ....
Address...
....
....
..............................Post Code.........................
Telephone...

Name ....
Address...
....
....
..............................Post Code.........................
Telephone...

Name ....
Address...
....
....
..............................Post Code.........................
Telephone...

Name ....
Address...
....
....
..............................Post Code.........................
Telephone...

Name ....
Address...
....
....
..............................Post Code.........................
Telephone...

Name ....
Address...
....
....
..............................Post Code.........................
Telephone...

Name ....
Address...
....
....
..............................Post Code.........................
Telephone...

Name ....
Address...
....
....
..............................Post Code.........................
Telephone...

L

Name ....

Address...

....

....

...............................Post Code.........................

Telephone..

Name ....

Address...

....

....

...............................Post Code.........................

Telephone..

Name ....

Address...

....

....

...............................Post Code.........................

Telephone..

Name ....

Address...

....

....

...............................Post Code.........................

Telephone..

Name ....

Address...

....

....

...............................Post Code.........................

Telephone..

Name ....

Address...

....

....

...............................Post Code.........................

Telephone..

Name ....

Address...

....

....

...............................Post Code.........................

Telephone..

Name ....

Address...

....

....

...............................Post Code.........................

Telephone..

L

Name ....

Address..

....

....

...............................Post Code.........................

Telephone..

Name ....

Address..

....

....

...............................Post Code.........................

Telephone..

Name ....

Address..

....

....

...............................Post Code.........................

Telephone..

Name ....

Address..

....

....

...............................Post Code.........................

Telephone..

Name ....

Address..

....

....

...............................Post Code.........................

Telephone..

Name ....

Address..

....

....

...............................Post Code.........................

Telephone..

Name ....

Address..

....

....

...............................Post Code.........................

Telephone..

Name ....

Address..

....

....

...............................Post Code.........................

Telephone..

Name ....

Address..

....

....

..............................*Post Code*.........................

Telephone...

Name ....

Address..

....

....

..............................*Post Code*.........................

Telephone...

Name ....

Address..

....

....

..............................*Post Code*.........................

Telephone...

Name ....

Address..

....

....

..............................*Post Code*.........................

Telephone...

Name ....

Address..

....

....

..............................*Post Code*.........................

Telephone...

Name ....

Address..

....

....

..............................*Post Code*.........................

Telephone...

Name ....

Address..

....

....

..............................*Post Code*.........................

Telephone...

Name ....

Address..

....

....

..............................*Post Code*.........................

Telephone...

M

Name ....
Address...
....
....
..............................*Post Code*.........................
Telephone...

Name ....
Address...
....
....
..............................*Post Code*.........................
Telephone...

Name ....
Address...
....
....
..............................*Post Code*.........................
Telephone...

Name ....
Address...
....
....
..............................*Post Code*.........................
Telephone...

Name ....
Address...
....
....
..............................*Post Code*.........................
Telephone...

Name ....
Address...
....
....
..............................*Post Code*.........................
Telephone...

Name ....
Address...
....
....
..............................*Post Code*.........................
Telephone...

Name ....
Address...
....
....
..............................*Post Code*.........................
Telephone...

Name ....

Address...

....

....

..............................Post Code.........................

Telephone...

Name ....

Address...

....

....

..............................Post Code.........................

Telephone...

Name ....

Address...

....

....

..............................Post Code.........................

Telephone...

Name ....

Address...

....

....

..............................Post Code.........................

Telephone...

Name ....

Address...

....

....

..............................Post Code.........................

Telephone...

Name ....

Address...

....

....

..............................Post Code.........................

Telephone...

Name ....

Address...

....

....

..............................Post Code.........................

Telephone...

Name ....

Address...

....

....

..............................Post Code.........................

Telephone...

Name ....
Address...
....
....
...............................Post Code........................
Telephone..

Name ....
Address...
....
....
...............................Post Code........................
Telephone..

Name ....
Address...
....
....
...............................Post Code........................
Telephone..

Name ....
Address...
....
....
...............................Post Code........................
Telephone..

Name ....
Address...
....
....
...............................Post Code........................
Telephone..

Name ....
Address...
....
....
...............................Post Code........................
Telephone..

Name ....
Address...
....
....
...............................Post Code........................
Telephone..

Name ....
Address...
....
....
...............................Post Code........................
Telephone..

N

Name ....

Address...

....

....

...............................*Post Code*.........................

Telephone...

Name ....

Address...

....

....

...............................*Post Code*.........................

Telephone...

Name ....

Address...

....

....

...............................*Post Code*.........................

Telephone...

Name ....

Address...

....

....

...............................*Post Code*.........................

Telephone...

Name ....

Address...

....

....

...............................*Post Code*.........................

Telephone...

Name ....

Address...

....

....

...............................*Post Code*.........................

Telephone...

Name ....

Address...

....

....

...............................*Post Code*.........................

Telephone...

Name ....

Address...

....

....

...............................*Post Code*.........................

Telephone...

N

Name ....
Address...
....
....
................................*Post Code*..........................
Telephone...

Name ....
Address...
....
....
................................*Post Code*..........................
Telephone...

Name ....
Address...
....
....
................................*Post Code*..........................
Telephone...

Name ....
Address...
....
....
................................*Post Code*..........................
Telephone...

Name ....
Address...
....
....
................................*Post Code*..........................
Telephone...

Name ....
Address...
....
....
................................*Post Code*..........................
Telephone...

Name ....
Address...
....
....
................................*Post Code*..........................
Telephone...

Name ....
Address...
....
....
................................*Post Code*..........................
Telephone...

Name ....

Address..

....

....

..............................Post Code..........................

Telephone..

Name ....

Address..

....

....

..............................Post Code..........................

Telephone..

Name ....

Address..

....

....

..............................Post Code..........................

Telephone..

Name ....

Address..

....

....

..............................Post Code..........................

Telephone..

Name ....

Address..

....

....

..............................Post Code..........................

Telephone..

Name ....

Address..

....

....

..............................Post Code..........................

Telephone..

Name ....

Address..

....

....

..............................Post Code..........................

Telephone..

Name ....

Address..

....

....

..............................Post Code..........................

Telephone..

O

Name ....
Address..
....
....
...............................Post Code.......................
Telephone..

Name ....
Address..
....
....
...............................Post Code.......................
Telephone..

Name ....
Address..
....
....
...............................Post Code.......................
Telephone..

Name ....
Address..
....
....
...............................Post Code.......................
Telephone..

Name ....
Address..
....
....
...............................Post Code.......................
Telephone..

Name ....
Address..
....
....
...............................Post Code.......................
Telephone..

Name ....
Address..
....
....
...............................Post Code.......................
Telephone..

Name ....
Address..
....
....
...............................Post Code.......................
Telephone..

Name ....

Address..

....

....

............................*Post Code*.........................

Telephone..

Name ....

Address..

....

....

............................*Post Code*.........................

Telephone..

Name ....

Address..

....

....

............................*Post Code*.........................

Telephone..

Name ....

Address..

....

....

............................*Post Code*.........................

Telephone..

Name ....

Address..

....

....

............................*Post Code*.........................

Telephone..

Name ....

Address..

....

....

............................*Post Code*.........................

Telephone..

Name ....

Address..

....

....

............................*Post Code*.........................

Telephone..

Name ....

Address..

....

....

............................*Post Code*.........................

Telephone..

Name ....
Address..
....
....
...............................Post Code.........................
Telephone..

Name ....
Address..
....
....
...............................Post Code.........................
Telephone..

Name ....
Address..
....
....
...............................Post Code.........................
Telephone..

Name ....
Address..
....
....
...............................Post Code.........................
Telephone..

Name ....
Address..
....
....
...............................Post Code.........................
Telephone..

Name ....
Address..
....
....
...............................Post Code.........................
Telephone..

Name ....
Address..
....
....
...............................Post Code.........................
Telephone..

Name ....
Address..
....
....
...............................Post Code.........................
Telephone..

P

Name ....

Address..

....

....

..............................Post Code........................

Telephone..

Name ....

Address..

....

....

..............................Post Code........................

Telephone..

Name ....

Address..

....

....

..............................Post Code........................

Telephone..

Name ....

Address..

....

....

..............................Post Code........................

Telephone..

Name ....

Address..

....

....

..............................Post Code........................

Telephone..

Name ....

Address..

....

....

..............................Post Code........................

Telephone..

Name ....

Address..

....

....

..............................Post Code........................

Telephone..

Name ....

Address..

....

....

..............................Post Code........................

Telephone..

Name ....

Address..

....

....

..............................Post Code........................

Telephone...

Name ....

Address..

....

....

..............................Post Code........................

Telephone...

Name ....

Address..

....

....

..............................Post Code........................

Telephone...

Name ....

Address..

....

....

..............................Post Code........................

Telephone...

Name ....

Address..

....

....

..............................Post Code........................

Telephone...

Name ....

Address..

....

....

..............................Post Code........................

Telephone...

Name ....

Address..

....

....

..............................Post Code........................

Telephone...

Name ....

Address..

....

....

..............................Post Code........................

Telephone...

Name	Name ....
Address..	Address..
....	....
....	....
..............................Post Code........................	..............................Post Code........................
Telephone..	Telephone..
Name	Name ....
Address..	Address..
....	....
....	....
..............................Post Code........................	..............................Post Code........................
Telephone..	Telephone..
Name	Name ....
Address..	Address..
....	....
....	....
..............................Post Code........................	..............................Post Code........................
Telephone..	Telephone..
Name	Name ....
Address..	Address..
....	....
....	....
..............................Post Code........................	..............................Post Code........................
Telephone..	Telephone..

Q

Name ....
Address..
....
....
..............................Post Code.........................
Telephone..

Name ....
Address..
....
....
..............................Post Code.........................
Telephone..

Name ....
Address..
....
....
..............................Post Code.........................
Telephone..

Name ....
Address..
....
....
..............................Post Code.........................
Telephone..

Name ....
Address..
....
....
..............................Post Code.........................
Telephone..

Name ....
Address..
....
....
..............................Post Code.........................
Telephone..

Name ....
Address..
....
....
..............................Post Code.........................
Telephone..

Name ....
Address..
....
....
..............................Post Code.........................
Telephone..

Name ....

Address..

....

....

............................*Post Code*............................

Telephone..

Name ....

Address..

....

....

............................*Post Code*............................

Telephone..

Name ....

Address..

....

....

............................*Post Code*............................

Telephone..

Name ....

Address..

....

....

............................*Post Code*............................

Telephone..

Name ....

Address..

....

....

............................*Post Code*............................

Telephone..

Name ....

Address..

....

....

............................*Post Code*............................

Telephone..

Name ....

Address..

....

....

............................*Post Code*............................

Telephone..

Name ....

Address..

....

....

............................*Post Code*............................

Telephone..

Name ....
Address..
....
....
...............................Post Code.........................
Telephone..

Name ....
Address..
....
....
...............................Post Code.........................
Telephone..

Name ....
Address..
....
....
...............................Post Code.........................
Telephone..

Name ....
Address..
....
....
...............................Post Code.........................
Telephone..

Name ....
Address..
....
....
...............................Post Code.........................
Telephone..

Name ....
Address..
....
....
...............................Post Code.........................
Telephone..

Name ....
Address..
....
....
...............................Post Code.........................
Telephone..

Name ....
Address..
....
....
...............................Post Code.........................
Telephone..

R

Name ....

Address..

....

....

..............................*Post Code*..........................

Telephone..

Name ....

Address..

....

....

..............................*Post Code*..........................

Telephone..

Name ....

Address..

....

....

..............................*Post Code*..........................

Telephone..

Name ....

Address..

....

....

..............................*Post Code*..........................

Telephone..

Name ....

Address..

....

....

..............................*Post Code*..........................

Telephone..

Name ....

Address..

....

....

..............................*Post Code*..........................

Telephone..

Name ....

Address..

....

....

..............................*Post Code*..........................

Telephone..

Name ....

Address..

....

....

..............................*Post Code*..........................

Telephone..

Name ....
Address..
....
....
...............................*Post Code*........................
Telephone..

Name ....
Address..
....
....
...............................*Post Code*........................
Telephone..

Name ....
Address..
....
....
...............................*Post Code*........................
Telephone..

Name ....
Address..
....
....
...............................*Post Code*........................
Telephone..

Name ....
Address..
....
....
...............................*Post Code*........................
Telephone..

Name ....
Address..
....
....
...............................*Post Code*........................
Telephone..

Name ....
Address..
....
....
...............................*Post Code*........................
Telephone..

Name ....
Address..
....
....
...............................*Post Code*........................
Telephone..

Name ....
Address...
....
....
...............................Post Code........................
Telephone..

Name ....
Address...
....
....
...............................Post Code........................
Telephone..

Name ....
Address...
....
....
...............................Post Code........................
Telephone..

Name ....
Address...
....
....
...............................Post Code........................
Telephone..

Name ....
Address...
....
....
...............................Post Code........................
Telephone..

Name ....
Address...
....
....
...............................Post Code........................
Telephone..

Name ....
Address...
....
....
...............................Post Code........................
Telephone..

Name ....
Address...
....
....
...............................Post Code........................
Telephone..

S

Name ....
Address..
....
....
................................*Post Code*............................
Telephone..

Name ....
Address..
....
....
................................*Post Code*............................
Telephone..

Name ....
Address..
....
....
................................*Post Code*............................
Telephone..

Name ....
Address..
....
....
................................*Post Code*............................
Telephone..

Name ....
Address..
....
....
................................*Post Code*............................
Telephone..

Name ....
Address..
....
....
................................*Post Code*............................
Telephone..

Name ....
Address..
....
....
................................*Post Code*............................
Telephone..

Name ....
Address..
....
....
................................*Post Code*............................
Telephone..

Name ....

Address..

....

....

...............................Post Code.........................

Telephone..

Name ....

Address..

....

....

...............................Post Code.........................

Telephone..

Name ....

Address..

....

....

...............................Post Code.........................

Telephone..

Name ....

Address..

....

....

...............................Post Code.........................

Telephone..

Name ....

Address..

....

....

...............................Post Code.........................

Telephone..

Name ....

Address..

....

....

...............................Post Code.........................

Telephone..

Name ....

Address..

....

....

...............................Post Code.........................

Telephone..

Name ....

Address..

....

....

...............................Post Code.........................

Telephone..

Name ....
Address...
....
....
..............................Post Code.........................
Telephone...

Name ....
Address...
....
....
..............................Post Code.........................
Telephone...

Name ....
Address...
....
....
..............................Post Code.........................
Telephone...

Name ....
Address...
....
....
..............................Post Code.........................
Telephone...

Name ....
Address...
....
....
..............................Post Code.........................
Telephone...

Name ....
Address...
....
....
..............................Post Code.........................
Telephone...

Name ....
Address...
....
....
..............................Post Code.........................
Telephone...

Name ....
Address...
....
....
..............................Post Code.........................
Telephone...

Name ....

Address..

....

....

...............................Post Code.........................

Telephone..

Name ....

Address..

....

....

...............................Post Code.........................

Telephone..

Name ....

Address..

....

....

...............................Post Code.........................

Telephone..

Name ....

Address..

....

....

...............................Post Code.........................

Telephone..

Name ....

Address..

....

....

...............................Post Code.........................

Telephone..

Name ....

Address..

....

....

...............................Post Code.........................

Telephone..

Name ....

Address..

....

....

...............................Post Code.........................

Telephone..

Name ....

Address..

....

....

...............................Post Code.........................

Telephone..

Name ....
Address..
....
....
..............................Post Code.........................
Telephone...

Name ....
Address..
....
....
..............................Post Code.........................
Telephone...

Name ....
Address..
....
....
..............................Post Code.........................
Telephone...

Name ....
Address..
....
....
..............................Post Code.........................
Telephone...

Name ....
Address..
....
....
..............................Post Code.........................
Telephone...

Name ....
Address..
....
....
..............................Post Code.........................
Telephone...

Name ....
Address..
....
....
..............................Post Code.........................
Telephone...

Name ....
Address..
....
....
..............................Post Code.........................
Telephone...

uIV

Name ....
Address..
....
....
...............................*Post Code*.........................
Telephone..

Name ....
Address..
....
....
...............................*Post Code*.........................
Telephone..

Name ....
Address..
....
....
...............................*Post Code*.........................
Telephone..

Name ....
Address..
....
....
...............................*Post Code*.........................
Telephone..

Name ....
Address..
....
....
...............................*Post Code*.........................
Telephone..

Name ....
Address..
....
....
...............................*Post Code*.........................
Telephone..

Name ....
Address..
....
....
...............................*Post Code*.........................
Telephone..

Name ....
Address..
....
....
...............................*Post Code*.........................
Telephone..

Name ....

Address..

....

....

...............................*Post Code*.........................

Telephone...

Name ....

Address..

....

....

...............................*Post Code*.........................

Telephone...

Name ....

Address..

....

....

...............................*Post Code*.........................

Telephone...

Name ....

Address..

....

....

...............................*Post Code*.........................

Telephone...

Name ....

Address..

....

....

...............................*Post Code*.........................

Telephone...

Name ....

Address..

....

....

...............................*Post Code*.........................

Telephone...

Name ....

Address..

....

....

...............................*Post Code*.........................

Telephone...

Name ....

Address..

....

....

...............................*Post Code*.........................

Telephone...

Name ....
Address..
....
....
...............................Post Code.........................
Telephone...

Name ....
Address..
....
....
...............................Post Code.........................
Telephone...

Name ....
Address..
....
....
...............................Post Code.........................
Telephone...

Name ....
Address..
....
....
...............................Post Code.........................
Telephone...

Name ....
Address..
....
....
...............................Post Code.........................
Telephone...

Name ....
Address..
....
....
...............................Post Code.........................
Telephone...

Name ....
Address..
....
....
...............................Post Code.........................
Telephone...

Name ....
Address..
....
....
...............................Post Code.........................
Telephone...

Name ....
Address..
....
....
..............................Post Code.........................
Telephone..

Name ....
Address..
....
....
..............................Post Code.........................
Telephone..

Name ....
Address..
....
....
..............................Post Code.........................
Telephone..

Name ....
Address..
....
....
..............................Post Code.........................
Telephone..

Name ....
Address..
....
....
..............................Post Code.........................
Telephone..

Name ....
Address..
....
....
..............................Post Code.........................
Telephone..

Name ....
Address..
....
....
..............................Post Code.........................
Telephone..

Name ....
Address..
....
....
..............................Post Code.........................
Telephone..

W

Name ....

Address...

....

....

...............................Post Code.........................

Telephone..

Name ....

Address...

....

....

...............................Post Code.........................

Telephone..

Name ....

Address...

....

....

...............................Post Code.........................

Telephone..

Name ....

Address...

....

....

...............................Post Code.........................

Telephone..

Name ....

Address...

....

....

...............................Post Code.........................

Telephone..

Name ....

Address...

....

....

...............................Post Code.........................

Telephone..

Name ....

Address...

....

....

...............................Post Code.........................

Telephone..

Name ....

Address...

....

....

...............................Post Code.........................

Telephone..

Name ....

Address..

....

....

................................*Post Code*.........................

Telephone..

Name ....

Address..

....

....

................................*Post Code*.........................

Telephone..

Name ....

Address..

....

....

................................*Post Code*.........................

Telephone..

Name ....

Address..

....

....

................................*Post Code*.........................

Telephone..

Name ....

Address..

....

....

................................*Post Code*.........................

Telephone..

Name ....

Address..

....

....

................................*Post Code*.........................

Telephone..

Name ....

Address..

....

....

................................*Post Code*.........................

Telephone..

Name ....

Address..

....

....

................................*Post Code*.........................

Telephone..

Name ....
Address..
....
....
..............................Post Code.........................
Telephone..

Name ....
Address..
....
....
..............................Post Code.........................
Telephone..

Name ....
Address..
....
....
..............................Post Code.........................
Telephone..

Name ....
Address..
....
....
..............................Post Code.........................
Telephone..

Name ....
Address..
....
....
..............................Post Code.........................
Telephone..

Name ....
Address..
....
....
..............................Post Code.........................
Telephone..

Name ....
Address..
....
....
..............................Post Code.........................
Telephone..

Name ....
Address..
....
....
..............................Post Code.........................
Telephone..

XY

Name ....
Address..
....
....
..............................Post Code.........................
Telephone..

Name ....
Address..
....
....
..............................Post Code.........................
Telephone..

Name ....
Address..
....
....
..............................Post Code.........................
Telephone..

Name ....
Address..
....
....
..............................Post Code.........................
Telephone..

Name ....
Address..
....
....
..............................Post Code.........................
Telephone..

Name ....
Address..
....
....
..............................Post Code.........................
Telephone..

Name ....
Address..
....
....
..............................Post Code.........................
Telephone..

Name ....
Address..
....
....
..............................Post Code.........................
Telephone..

Name ....
Address..
....
....
...............................*Post Code*.............................
Telephone..

Name ....
Address..
....
....
...............................*Post Code*.............................
Telephone..

Name ....
Address..
....
....
...............................*Post Code*.............................
Telephone..

Name ....
Address..
....
....
...............................*Post Code*.............................
Telephone..

Name ....
Address..
....
....
...............................*Post Code*.............................
Telephone..

Name ....
Address..
....
....
...............................*Post Code*.............................
Telephone..

Name ....
Address..
....
....
...............................*Post Code*.............................
Telephone..

Name ....
Address..
....
....
...............................*Post Code*.............................
Telephone..

Birthdays Anniversaries and Events

JANUARY

1	**5**	**9**	**13**
2	**6**	**10**	**14**
3	**7**	**11**	**15**
4	**8**	**12**	**16**

JANUARY

17	21	25	29
18	22	26	30
19	23	27	31
20	24	28	

FEBRUARY

1	5	9	13
2	6	10	14
3	7	11	15
4	8	12	16

FEBRUARY

17	21	25	29
18	22	26	
19	23	27	
20	24	28	

MARCH

1	5	9	13
2	6	10	14
3	7	11	15
4	8	12	16

MARCH

17	**21**	**25**	**29**
18	**22**	**26**	**30**
19	**23**	**27**	**31**
20	**24**	**28**	

APRIL

1	5	9	13
2	6	10	14
3	7	11	15
4	8	12	16

APRIL

17	***21***	***25***	***29***
18	***22***	***26***	***30***
19	***23***	***27***	
20	***24***	***28***	

MAY

1	5	9	13
2	6	10	14
3	7	11	15
4	8	12	16

MAY

17	*21*	*25*	*29*
18	*22*	*26*	*30*
19	*23*	*27*	*31*
20	*24*	*28*	

JUNE

1	***5***	***9***	***13***
2	***6***	***10***	***14***
3	***7***	***11***	***15***
4	***8***	***12***	***16***

JUNE

17	**21**	**25**	**29**
18	**22**	**26**	**30**
19	**23**	**27**	
20	**24**	**28**	

JULY

1	5	9	13
2	6	10	14
3	7	11	15
4	8	12	16

JULY

17	**21**	**25**	**29**
18	**22**	**26**	**30**
19	**23**	**27**	**31**
20	**24**	**28**	

AUGUST

1	5	9	13
2	6	10	14
3	7	11	15
4	8	12	16

AUGUST

17	21	25	29
18	22	26	30
19	23	27	31
20	24	28	

SEPTEMBER

1	5	9	13
2	6	10	14
3	7	11	15
4	8	12	16

SEPTEMBER

17	**21**	**25**	**29**
18	**22**	**26**	**30**
19	**23**	**27**	
20	**24**	**28**	

OCTOBER

1	**5**	**9**	**13**
2	**6**	**10**	**14**
3	**7**	**11**	**15**
4	**8**	**12**	**16**

OCTOBER

17	***21***	***25***	***29***
18	***22***	***26***	***30***
19	***23***	***27***	***31***
20	***24***	***28***	

NOVEMBER

1	5	9	13
2	6	10	14
3	7	11	15
4	8	12	16

NOVEMBER

17	**21**	**25**	**29**
18	**22**	**26**	**30**
19	**23**	**27**	
20	**24**	**28**	

DECEMBER

1	**5**	**9**	**13**
2	**6**	**10**	**14**
3	**7**	**11**	**15**
4	**8**	**12**	**16**

DECEMBER

17	***21***	***25***	***29***
18	***22***	***26***	***30***
19	***23***	***27***	***31***
20	***24***	***28***	

Christmas Card List

Name .... *Year* ....

Name .... *Year* ....

Name .... *Year* ....

Name .... *Year* ....

Name .... *Year* ....

Name .... *Year* ....

Name .... *Year* ....

Name .... *Year* ....

Name .... *Year* ....

Name .... *Year* ....

Name .... *Year* ....

Name .... *Year* ....

Name .... *Year* ....

Name .... *Year* ....

Name .... *Year* ....

Name .... *Year* ....

Name .... *Year* ....

Name .... *Year* ....

Name .... *Year* ....

Name .... *Year* ....

Name .... *Year* ....

Name .... *Year* ....

Name .... *Year* ....

Name .... *Year* ....

Name .... *Year* ....

Name .... *Year* ....

Name .... *Year* ....

Name .... *Year* ....

Name .... *Year* ....

Name .... *Year* ....

Name .... *Year* ....

Name .... *Year* ....

Name .... *Year* ....

Name .... *Year* ....

Name .... *Year* ....

Name .... *Year* ....

Name .... *Year* ....

Name .... *Year* ....

Name .... *Year* ....

Name .... *Year* ....

Name .... *Year* ....

Name .... *Year* ....

Name .... *Year* ....

Name .... *Year* ....

Name .... *Year* ....

Name .... *Year* ....

Name .... *Year* ....

Name .... *Year* ....

Name .... *Year* ....

Name .... *Year* ....

Name .... *Year* ....

Name .... *Year* ....

Name .... *Year* ....

Name .... *Year* ....

Name .... *Year* ....

Name .... *Year* ....

Name .... *Year* ....

Name .... *Year* ....

Name .... *Year* ....

Name .... *Year* ....

Name .... *Year* ....

Name .... *Year* ....

Name .... *Year* ....

Name .... *Year* ....

Name .... *Year* ....

Name .... *Year* ....

Name .... *Year* ....

Name .... *Year* ....

Name .... *Year* ....

Name .... *Year* ....

Name .... *Year* ....

Name .... *Year* ....

Name .... *Year* ....

Name .... *Year* ....

Name .... *Year* ....

Name .... *Year* ....

Name .... *Year* ....

Name .... *Year* ....

Name .... *Year* ....

Name .... *Year* ....

Name .... *Year* ....

Name .... *Year* ....

Name .... *Year* ....

Name .... *Year* ....

Name .... *Year* ....

Name .... *Year* ....

Name .... *Year* ....

Name .... *Year* ....

Name .... *Year* ....

Name .... *Year* ....

Name .... *Year* ....

Name .... *Year* ....

Name .... *Year* ....

Name .... *Year* ....

Name .... *Year* ....

Name .... *Year* ....

Name .... *Year* ....

Name .... *Year* ....

Name .... *Year* ....

Name .... *Year* ....

Name .... *Year* ....

Name .... *Year* ....

Name .... *Year* ....

Name .... *Year* ....

Name .... *Year* ....

Name .... *Year* ....

Name .... *Year* ....

Name .... *Year* ....

Name .... *Year* ....

Name .... *Year* ....

Name .... *Year* ....

Name .... *Year* ....

Name .... *Year* ....

Name .... *Year* ....

Name .... *Year* ....

Name .... *Year* ....

Name .... *Year* ....

Name .... *Year* ....

Name .... *Year* ....

Name .... *Year* ....

Name .... *Year* ....

Name .... *Year* ....

Name .... *Year* ....

Name .... *Year* ....

Name .... *Year* ....

Name .... *Year* ....

Name .... Year ....
Name .... Year ....
Name .... Year ....
Name .... Year ....
Name .... Year ....
Name .... Year ....
Name .... Year ....
Name .... Year ....
Name .... Year ....
Name .... Year ....
Name .... Year ....
Name .... Year ....
Name .... Year ....
Name .... Year ....
Name .... Year ....
Name .... Year ....
Name .... Year ....
Name .... Year ....
Name .... Year ....
Name .... Year ....
Name .... Year ....

Name .... *Year* ....

Name .... *Year* ....

Name .... *Year* ....

Name .... *Year* ....

Name .... *Year* ....

Name .... *Year* ....

Name .... *Year* ....

Name .... *Year* ....

Name .... *Year* ....

Name .... *Year* ....

Name .... *Year* ....

Name .... *Year* ....

Name .... *Year* ....

Name .... *Year* ....

Name .... *Year* ....

Name .... *Year* ....

Name .... *Year* ....

Name .... *Year* ....

Name .... *Year* ....

Name .... *Year* ....

Name .... *Year* ....

Name .... Year ....
Name .... Year ....
Name .... Year ....
Name .... Year ....
Name .... Year ....
Name .... Year ....
Name .... Year ....
Name .... Year ....
Name .... Year ....
Name .... Year ....
Name .... Year ....
Name .... Year ....
Name .... Year ....
Name .... Year ....
Name .... Year ....
Name .... Year ....
Name .... Year ....
Name .... Year ....
Name .... Year ....
Name .... Year ....
Name .... Year ....

Name .... *Year* ....
Name .... *Year* ....
Name .... *Year* ....
Name .... *Year* ....
Name .... *Year* ....
Name .... *Year* ....
Name .... *Year* ....
Name .... *Year* ....
Name .... *Year* ....
Name .... *Year* ....
Name .... *Year* ....
Name .... *Year* ....
Name .... *Year* ....
Name .... *Year* ....
Name .... *Year* ....
Name .... *Year* ....
Name .... *Year* ....
Name .... *Year* ....
Name .... *Year* ....
Name .... *Year* ....
Name .... *Year* ....

Name	Year
Name	Year ....
Name	Year ....
Name	Year ....
Name	Year ....
Name	Year ....
Name	Year ....
Name	Year ....
Name	Year ....
Name	Year ....
Name	Year ....
Name	Year ....
Name	Year ....
Name	Year ....
Name	Year ....
Name	Year ....
Name	Year ....
Name	Year ....
Name	Year ....
Name	Year ....
Name	Year ....
Name	Year ....

Name .... *Year* ....

Name .... *Year* ....

Name .... *Year* ....

Name .... *Year* ....

Name .... *Year* ....

Name .... *Year* ....

Name .... *Year* ....

Name .... *Year* ....

Name .... *Year* ....

Name .... *Year* ....

Name .... *Year* ....

Name .... *Year* ....

Name .... *Year* ....

Name .... *Year* ....

Name .... *Year* ....

Name .... *Year* ....

Name .... *Year* ....

Name .... *Year* ....

Name .... *Year* ....

Name .... *Year* ....

Name .... *Year* ....

Name .... *Year* ....
Name .... *Year* ....
Name .... *Year* ....
Name .... *Year* ....
Name .... *Year* ....
Name .... *Year* ....
Name .... *Year* ....
Name .... *Year* ....
Name .... *Year* ....
Name .... *Year* ....
Name .... *Year* ....
Name .... *Year* ....
Name .... *Year* ....
Name .... *Year* ....
Name .... *Year* ....
Name .... *Year* ....
Name .... *Year* ....
Name .... *Year* ....
Name .... *Year* ....
Name .... *Year* ....
Name .... *Year* ....

Name .... Year ....

Name .... Year ....

Name .... Year ....

Name .... Year ....

Name .... Year ....

Name .... Year ....

Name .... Year ....

Name .... Year ....

Name .... Year ....

Name .... Year ....

Name .... Year ....

Name .... Year ....

Name .... Year ....

Name .... Year ....

Name .... Year ....

Name .... Year ....

Name .... Year ....

Name .... Year ....

Name .... Year ....

Name .... Year ....

Name .... Year ....

Name .... *Year* ....
Name .... *Year* ....
Name .... *Year* ....
Name .... *Year* ....
Name .... *Year* ....
Name .... *Year* ....
Name .... *Year* ....
Name .... *Year* ....
Name .... *Year* ....
Name .... *Year* ....
Name .... *Year* ....
Name .... *Year* ....
Name .... *Year* ....
Name .... *Year* ....
Name .... *Year* ....
Name .... *Year* ....
Name .... *Year* ....
Name .... *Year* ....
Name .... *Year* ....
Name .... *Year* ....
Name .... *Year* ....

Name .... Year ....

Name .... Year ....

Name .... Year ....

Name .... Year ....

Name .... Year ....

Name .... Year ....

Name .... Year ....

Name .... Year ....

Name .... Year ....

Name .... Year ....

Name .... Year ....

Name .... Year ....

Name .... Year ....

Name .... Year ....

Name .... Year ....

Name .... Year ....

Name .... Year ....

Name .... Year ....

Name .... Year ....

Name .... Year ....

Name .... Year ....

Name .... Year ....

Name .... Year ....

Name .... Year ....

Name .... Year ....

Name .... Year ....

Name .... Year ....

Name .... Year ....

Name .... Year ....

Name .... Year ....

Name .... Year ....

Name .... Year ....

Name .... Year ....

Name .... Year ....

Name .... Year ....

Name .... Year ....

Name .... Year ....

Name .... Year ....

Name .... Year ....

Name .... Year ....

Name .... Year ....

Name .... Year ....

Name .... Year ....
Name .... Year ....
Name .... Year ....
Name .... Year ....
Name .... Year ....
Name .... Year ....
Name .... Year ....
Name .... Year ....
Name .... Year ....
Name .... Year ....
Name .... Year ....
Name .... Year ....
Name .... Year ....
Name .... Year ....
Name .... Year ....
Name .... Year ....
Name .... Year ....
Name .... Year ....
Name .... Year ....
Name .... Year ....
Name .... Year ....

Gifts and Ideas List

Name	*Occasion*	*Date*
		Date

Name	*Occasion*	*Date*

Name	*Occasion*	*Date*

Name	*Occasion*	*Date*

Name	*Occasion*	*Date*

Name	*Occasion*	*Date*

Name	*Occasion*	*Date*

Name	*Occasion*	*Date*

Name	*Occasion*	*Date*

Name	*Occasion*	*Date*

Name	Occasion	Date

Name	*Occasion*	*Date*

Name	Occasion	Date
		Date

Name	*Occasion*	*Date*

Name	*Occasion*	*Date*

Name	*Occasion*	*Date*
....	....	....
....	....	....
....	....	....
....	....	....
....	....	....
....	....	....
....	....	....
....	....	....
....	....	....
....	....	....
....	....	....
....	....	....
....	....	....
....	....	....
....	....	....
....	....	....
....	....	....
....	....	....
....	....	....

Name	*Occasion*	*Date*

Name	*Occasion*	*Date*

Name *Occasion* *Date*